MW00436469

Madame
Poipoi

Monsieur
Henri

Gino
Marto

Rémi
Lepoivre

Adrien
Dubouchon

Mélanie
Lano

Tom-Tom et Nana

Trop, c'est trop !

Scénario : Jacqueline Cohen, Evelyne Reberg
Dessins : Bernadette Després - Couleurs : Catherine Viansson-Ponté

A LA BONNE FOURCHETTE

Marie-Lou
Dubouchon

Yvonne
Dubouchon

Nana
Dubouchon

Tom-Tom
Dubouchon

© Bayard Éditions Jeunesse, 2002
ISBN : 2747005852
Dépôt légal : avril 2002
Droits de reproduction réservés pour tous pays
Toute reproduction, même partielle, interdite
Imprimé en France par Pollina s.a., 85400 Luçon - L85071
Les aventures de Tom-Tom et Nana sont publiées
chaque mois dans *J'aime Lire*,
le journal pour aimer lire.
J'aime Lire, 3 rue Bayard, 75008 Paris

La mode chic et choc

6

7

Tom-Tom et Nana : Trop, c'est trop !

Ils aiment qu'on soit moches! Ils vont être servis!

chambre de Tom-Tom et de Nana

On va leur faire honte!

Ha-ha! On sera chouette, avec ça!

Ouais!

Tiens, tu veux de la ficelle?

Oui, et passe-moi la colle!

Les gens vont se cotiser pour nous offrir des Chicbok!

Hi! Hi!

VERT
ROUGE

On dirait des crapauds!

Et moi, on dirait des rosbifs!

À l'attaque!

Madame Chouchou

La reine des courses

22

Le CKZ 2000

24

Allô New-Yorrk ! Comment va la bourse ?

Elle gonfle ! Oh, là, là, je suis... riche !!!

A moi ! A moi !

Allô ! Pouette, pouette ! Crotte !...

...Caca boudin ! Boum ! Boum !

A moi, idiote !

Et moi, alors ?

Toi, tu n'as rien à raconter !

Ici le commandant Tom-Tom, je vous ordonne de...

Stop, ça suffit !

C'est pas pour rigoler, ma mère va m'appeler !

Tu parles !

Il est même pas vrai ton téléphone !

D'abord il est rose ! Ça n'existe pas les téléphones roses !

Vous allez voir !

Dans trois minutes il va sonner !

Alors ça vient ?

Ooooh, ça marche !

Bilibip ! Bilibip !

Une idée fumante

31

Cent kilos de lecture

36

Tom-Tom et Nana : Trop, c'est trop !

* Squaw se prononce skuo. C'est la femme d'un Indien.

Un peu plus tard...

On n'entend rien !

Ils lisent depuis 18 minutes et 23 secondes !!!

Tante Roberte, c'est un miracle !

Eh oui ! Je suis une petite fée !

Et nous avons deux petits génies !

Si on allait jeter un coup d'œil ?

CHUT !

Vrai ou faux?

43

Aaah ! Il sort le serpent de sa poche !

A... TCHOUM !

Pshi-i-iii !

Nul ! C'est son mouchoir !

Change de lunettes, Sophie !

Ben moi, c'est vraiment mieux ! J'ai vu...

Une crotte !

Pff !

Minable !

Un super hoquet

GLOURP... TCH!

Hic!

Je connais un autre truc!...

Hic!... Hic!

... Un couteau dans le dos!

Heim?

Hic!

Tu es folle!

Vous êtes vraiment nuls!

Il faut lui faire une peur... atroce!

Venez m'aider les enfants!

Hic!

Didi Dindon

56

Ris, Bouboule !

60

La grippe au poivre

70

Pépin le terrible

Tom-Tom et Nana : Trop, c'est trop !

Voyons, madame Kellmer! Un monstre c'est impossible! Vous délirez!

Dites que je suis folle, pendant que vous y êtes!!

BLAM!

Oh, là, là! J'ai jamais vu ça!!!

Un... un chat-volant avec des yeux comme des lunes!!!

Il s'est jeté sur le pare-brise de mon autobus!

Aïe! Ouille!

Pas si sotte

78

Ya qu'un "t" à rigolote !

Et c'est pas si gentil que ça !

Je sais !! " Nana est une vieille carotte !"...

FAUX !

Dites-le moi ! J'ai envie de faire pipi !

Mais vas-y !

NON ! JE VEUX SAVOIR !

Pffffffff !

PING !

PAF ! PONG !

Nana... m m m...

... est une grosse bouillotte !

FAUX !

... Biscotte, cocotte, marmotte, tortillotte...

Allez ! File aux toilettes !

Hi, hi !

Tu sauras tout après !

Vous n'effacez pas, hein ?

Non, non !

Promis, juré !

Vous ne déchirez pas le papier !

Non, non !

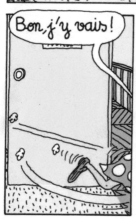

Bon, j'y vais !

AAAAH ! TROP TARD ! CATASTROPHE !

Pfff !

Gagné !

FIN

82

Mange, Bouboule !

Sacrés secrets !

Vous pourriez vous occuper de votre gamine !

Enfin !.... Je vous prépare ma facture !

800 F !!

Hé oui ! Tarif de nuit, supplément-fête....

Je meurs !!

Non !! Pas le jour de Noël !!

Reprends-toi, Adrien ! Ça aurait pu être pire !

Je suis mort !!

Lis, papounet ! Tu vas ressusciter !

Tom-Tom et Nana

T'es zinzin si t'en rates un !

 N° 1

 N° 2

 N° 3

 N° 4

 N° 5

 N° 6

 N° 7

 N° 8

 N° 9

 N° 10

 N° 11

 N° 12

 N° 13

 N° 14

 N° 15

 N° 16

 N° 17

 N° 18

 N° 19

 N° 20

 N° 21

 N° 22

 N° 23

 N° 24

 N° 25

 N° 26

 N° 27